LE POT DE
TOM

© 1989, l'école des loisirs, Paris, pour l'édition « lutin poche »
© 1986, Barbro Lindgren pour le texte
© 1986, Eva Eriksson pour les illustrations
Titre original : « Max potta » (Raben + Sjögren, Stockholm)
Loi n° 49.956 du 16 juillet 1949 sur les publications
destinées à la jeunesse : mars 1989
Dépôt légal : septembre 1990
Imprimé en France par Mame Imprimeurs à Tours

LE POT DE
TOM

Texte de Barbro Lindgren
Illustrations d'Eva Eriksson

lutin poche de l'école des loisirs
11, rue de Sèvres, Paris 6ᵉ

Voici Tom.

Voilà le pot de Tom.

Tom ne veut pas s'asseoir sur le pot.

Vilain pot!

Oua-ouah veut bien s'asseoir
sur le pot.

Mais Oua-ouah ne sait pas.

Tom lui montre comment faire.

« Regarde, Oua-ouah ! »

Oh! Quel vilain pot!

Oua-ouah est bien triste.

Tom prend Oua-ouah dans ses bras.

Maintenant, Oua-ouah peut s'asseoir sur le pot.

Oua-ouah est tout content.